Martine
*petite maman*

**GILBERT DELAHAYE - MARCEL MARLIER**

**La collection FARANDOLE est publiée en :**

| | | | |
|---|---|---|---|
| *Afrikaans :* | WARD LOCK, | Cape Town | |
| *Allemand :* | CARLSEN, | Reinbeck | |
| *Américain :* | HART, | New York | |
| *Anglais :* | WARD LOCK, | Londres | |
| *Catalan :* | JUVENTUD, | Barcelone | |
| *Croate :* | MLADOST, | Zagreb | |
| *Danois :* | CARLSEN, | Copenhague | |
| *Espagnol :* | JUVENTUD, | Barcelone | |
| *Finlandais :* | OY PALETTI, | Helsinki | |
| *Grec :* | PAPADOPOULOS, | Athènes | |
| *Hébreu :* | PICTURES CENTRE, | Tel Aviv | |
| *Indonésien :* | GANACO, | Bandung | |

| | | | |
|---|---|---|---|
| *Islandais :* | FJÖLVI, | Reykjavik | |
| *Italien :* | LA SORGENTE, | Milan | |
| *Macédonien :* | KULTURA, | Skoplje | |
| *Néerlandais :* | CASTERMAN, | Doornik-Dronten | |
| *Norvégien :* | DAMM, | Oslo | |
| *Portugais :* | VERBO, | Lisbonne | |
| *Roumain :* | TINERETULUI, | Bucarest | |
| *Serbe :* | FORUM, | Novi Sad | |
| *Slovène :* | JUGOREKLAM, | Ljubljana | |
| *Suédois :* | CARLSEN, | Stockholm | |
| *Turc :* | SÜMER YAYINEVI, | Istanbul | |

Ce matin, tout est calme dans la maison de Martine. Papa et Maman sont partis en voyage pour la journée. Bébé, Minet et Patapouf dorment encore.

Le réveil sonne. Vite, Martine se lève car elle doit remplacer Maman et s'occuper d'Alain, le petit frère, qui ne va pas tarder à s'éveiller.

Elle tire les rideaux, ouvre les volets.

Aussitôt le soleil entre dans la chambre. Dehors, le coq chante et le jardin sent bon.

C'est une belle journée qui commence.

Les rêves de la nuit s'envolent. Bébé ouvre les yeux. Il regarde le coucou qui sort de l'horloge en criant « coucou, coucou ». Les canards, sur le papier peint, font semblant de se jeter dans la mare. Minet accourt dans l'escalier pour savoir si bébé a bien dormi.

Quand Alain est tout à fait éveillé, Martine le prend dans ses bras. Bébé, ébloui par le soleil, se cache les yeux en faisant une grimace.

— Bonjour, bonjour, dit Martine en l'embrassant pour le rassurer.

La journée de bébé commence par le bain.

Attention que l'eau ne soit pas trop chaude!

Baigner Alain n'est pas une petite affaire. Il tape dans l'eau avec son poing pour faire danser le poisson rouge et le canard en celluloïd.

Il veut se mettre debout dans la baignoire. Il s'éclabousse la figure et sort la langue. Prenons garde qu'il n'ait pas de savon dans les yeux.

Le bain est terminé. Bébé est tout nu sur la table. Sa peau est douce comme la peau d'une pêche. Surtout, bébé ne doit pas prendre froid. Une friction à l'eau de Cologne lui fera du bien.

— Moi, dit Patapouf en levant le museau, les parfums me donnent la migraine.

Bébé voudrait bien retourner dans la baignoire, mais, il a beau gesticuler, le bain est fini.

Martine est perplexe. Comment va-t-elle habiller bébé? Si maman était ici, cela serait plus simple. Cela ne fait rien. Martine saura bien se tirer d'affaire.

Elle veille à ne pas piquer le petit frère avec les épingles de nourrice. Allons bon, bébé serre son poing dans la manche de la barboteuse. Sa menotte ne veut plus sortir de là. Heureusement que Martine ne s'énerve pas!

Et voilà un noeud qui n'est pas facile à faire.

Bébé pleure et se met en colère. Martine connaît bien la raison de son impatience. C'est que l'heure du biberon est arrivée. Et quand bébé a faim, il ne faut pas le faire attendre.

Aussi Martine se dépêche de mettre chauffer l'eau dans la bouilloire. Où est le lait en poudre? Et le sucre? Le biberon est-il rincé? Voilà qui est fait. Il ne reste plus qu'à mesurer le lait, l'eau et le sucre. Maman a dit : « jusque-là dans le biberon ».

Ni trop chaud ni trop froid, le lait est à point.

Le petit frère ne pleure plus. Martine l'a installé sur ses genoux et il tète goulûment. Martine est bien contente qu'il ait un si bon appétit.

— Doucement, dit-elle en baissant le biberon. Sinon tu auras le hoquet tantôt.

Bébé regarde le plafond. Dans ses yeux, plus de chagrin. Il tient le biberon à deux mains et Minet l'observe, espérant que bébé ne boira pas tout.

Avant de partir, Maman a dit : « S'il fait beau, tu pourras promener bébé au parc. » C'est une chance que le soleil soit de la partie!

Martine sort la voiture de bébé. Elle met un oreiller rose et de jolis draps où sont brodés trois lapins et des oiseaux de couleur.

Pas de couvertures, il fait trop chaud; bébé ne serait pas à son aise.

Ne pas oublier l'ombrelle.

Martine est fière de promener bébé dans la jolie
voiture. Elle entre dans le parc. Aussitôt ses amies
viennent à sa rencontre.

— C'est ton frère? demande Jacqueline en faisant
un joli sourire.

— Comment s'appelle-t-il? dit Françoise.

— Il s'appelle Alain.

— Comme il est mignon! Quel âge a-t-il?

— Il a eu treize mois le 15 avril.

Dans le parc, les enfants crient trop fort en jouant à cache-cache. Bébé ne parviendra jamais à s'endormir. Rentrons à la maison.

Là, dans la cour, sous un parasol, bébé ne tarde pas à fermer les yeux.

— Chut, dit Martine en mettant le doigt sur ses lèvres. Il ne faut pas réveiller bébé.

Elle s'en va sur la pointe des pieds. Minet veille sur le banc. Tout est calme.

Tout à coup, par la fenêtre ouverte, on entend un bruit de ferraille.

Martine accourt aussitôt. Qu'est-il arrivé?

C'est Minet qui a vu passer une souris sous le banc. Il l'a poursuivie jusque dans la buanderie. En courant, il a fait tomber le balai sur le seau et le seau a roulé au milieu de la cour. Bébé a eu peur. Il s'est réveillé. Il pleure.

— Ce n'est rien, dit Martine en prenant son petit frère dans les bras.

Bébé est consolé. Déjà il ne pense qu'à s'amuser. Car il a vu le cheval à bascule, qui lui fait signe.

Le cheval à bascule a des grelots autour du cou et une crinière avec des rubans. Il attend que bébé soit bien installé et hop, en arrière, en avant, il galope comme un vrai cheval.

Gare à Minet s'il se fait prendre les pattes!

Bébé ne veut plus jouer au cheval.

Bébé veut marcher.

C'est vrai qu'il sera bientôt un petit garçon pour de bon. Et puis, il y a des tas de choses à voir dans le monde, n'est-ce pas?

Bébé ne marche pas encore très bien. Il faut que Martine le soutienne. Ainsi, il ira sûrement jusqu'au bout du jardin.

Justement un petit mouton, qui s'ennuyait, l'attend sur le gazon.

— Bonjour, petit mouton.

Bien sûr, bébé ne parle pas encore. Mais ce que bébé ne dit pas, tout le monde le pense.

Le petit mouton, lui, ne parlera jamais. Alors, il fait des bonds dans l'herbe et toutes sortes de cabrioles. Ce qui veut dire : « Donne-moi une caresse ».

Mais rien n'est plus difficile que de caresser un petit mouton qui bouge tout le temps.

L'après-midi s'achève. Le grand air donne de l'appétit et bébé réclame sa panade.

Martine assied Alain dans sa chaise. Une chaise avec une tablette et un joli coussin.

Elle apporte une cuiller et une assiette. Elle souffle sur la panade pour la refroidir.

— Une cuiller pour Minet? Une cuiller pour le cheval à bascule? Encore une pour le petit mouton?...

— Surtout, ne m'oubliez pas, semble dire Patapouf.

Les étoiles s'allument dans le ciel. C'est l'heure de mettre coucher bébé. Martine le déshabille.

Le voilà en chemise de nuit, prêt pour aller dormir avec l'ours en peluche et le lapin aux longues oreilles.

Minet se demande si vraiment l'ours en peluche n'empêchera pas bébé de dormir et si le lapin espiègle ne va pas courir toute la nuit dans la chambre.

Il remue la queue simplement pour dire :

— Demain, on s'amusera bien.

— Fais de jolis rêves, dit Martine à son petit frère.

Sitôt dans son lit, bébé s'est endormi. Martine aime beaucoup son petit frère... Mais elle est contente que Papa et Maman rentrent tout à l'heure.

Car bien sûr, cela n'est pas facile de s'occuper de bébé toute la journée!

Imprimé en Belgique par Casterman, s.a., Tournai, janvier 1980. N° édit.-imp. 2508.
Dépôt légal : 3ᵉ trimestre 1968 ; D. 1975/0053/37.